Un montón
de unicornios

Ana María Machado

Ilustraciones de Asun Balzola

ediciones SM Joaquín Turina 39   28044 Madrid

Colección dirigida por **Marinella Terzi**

Primera edición: marzo 1990
Segunda edición: octubre 1990
Tercera edición: octubre 1992
Cuarta edición: diciembre 1992
Quinta edición: octubre 1993

Traducción: Manuel Barbadillo
Ilustraciones: Asun Balzola

Título original: Praga de unicornio
© Ediciones SM, 1989
    Joaquín Turina, 39 - 28044 Madrid

Comercializa: CESMA, SA - Aguacate, 25 - 28044 Madrid

ISBN: 84-348-3093-0
Depósito legal: M-30572-1993
Fotocomposición: Grafilia, SL
Impreso en España/Printed in Spain
Orymu, SA - Ruiz de Alda, 1 - Pinto (Madrid)

Sí, era una casa de ensueño.
Al menos, eso decían los mayores.

Tenía garaje,
tenía ventanas de aluminio,
tenía cristales ahumados.
Al menos, eso decían los anuncios.
Aunque los niños no sabían
para qué servía todo eso.
Pero el anuncio era tan bonito...
Quedaba tan bien...
Hasta se le podía poner música
y cantarlo así:

Es un piso muy bonito,
con portero y ascensor.
Con aire acondicionado
para no pasar calor.

Pero los niños que allí vivían
no estaban contentos.
¡El anuncio bonito
no les importaba nada!

Tampoco les importaba
que la casa tuviese un *terreno*.
Eso decía el anuncio: *terreno*.

Sí, claro,
el terreno era un terreno.

¡Pero no un *terreno de juego!*

En primer lugar,
un terreno debe ser *de tierra,*
¿no?
¡Pues aquél era de cemento!
No tenía tierra,
ni arena,

ni lombrices,
ni escarabajos,
ni grillos,
ni árboles,

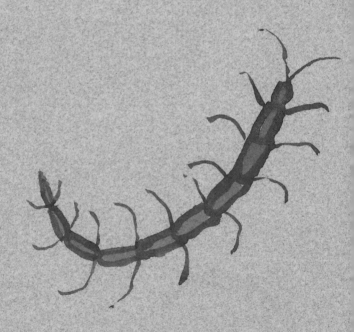

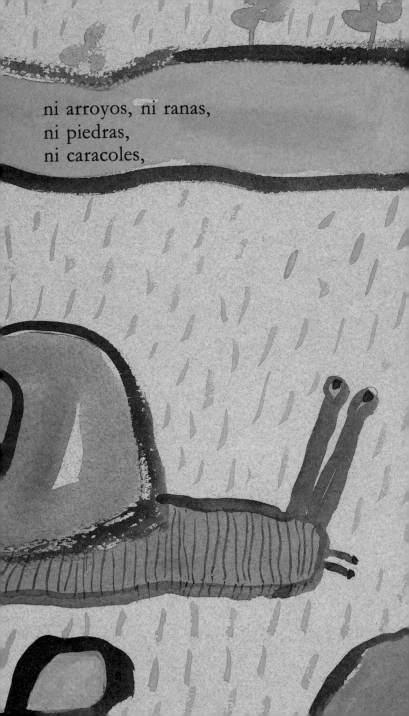

ni arroyos, ni ranas,
ni piedras,
ni caracoles,

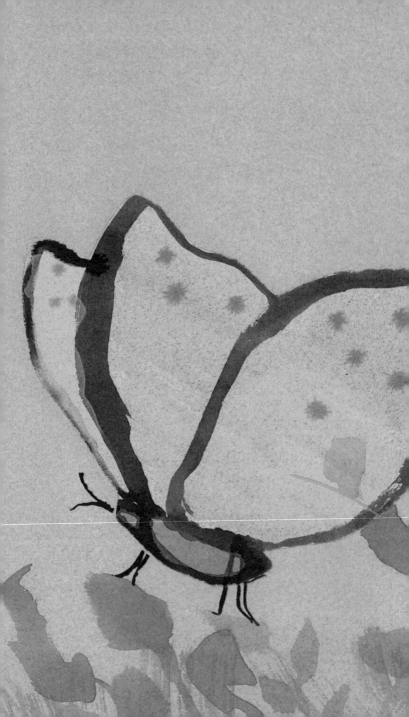

ni hierbas,
ni musgo,
ni mariposas,

ni libélulas,
ni gorriones.

¡Ninguna de esas cosas que
si los niños hiciesen las listas,
no se acabarían nunca!
¡Serían unas listas grandísimas!

También era grandísimo
el vacío que sentía Diego
en su corazón
cuando se ponía a soñar
con árboles y campos,
como los que salen en la tele.

¡Pero él tenía que contentarse
con el terreno de cemento gris!

En la entrada de la casa
había una palmera en una maceta.
Enana, descolorida...
Pero, al fin y al cabo,
era una palmera.

En los pisos de los niños
también había plantas:
en jardineras, en macetas...
¡hasta en botes de lata!
¡Algo es algo!

Pero si no son plantas
con mucho espacio,
plantas plantadas
en tierra de verdad,
¿cómo van a tener
animales que merezcan la pena?
¡¡Y los animales son necesarios!!

—¿Jugamos a que íbamos
galopando por los campos,
montados en nuestros caballos?
—decía Diego.
Y los niños empezaban a soñar.
—Y toda la tarde
llevábamos los rebaños
por la pradera...
—añadía Juana.

—Y echábamos el lazo
a los becerros desobedientes...
–continuaba Lucas.

—Y andábamos muy atentos,
por si salía del bosque un león
y nos atacaba...
–seguía Diego, loco de entusiasmo.

—¡No!
¡No tengas miedo!
¡Nuestros perros eran
muy listos
y enseguida olían
al león
—intervenía Rafael.

Y así pasaban horas y más horas. Hablando de los patos, gansos, pavos y gallinas del gallinero.

De los leones y monos de la selva.
De los camellos y buitres del desierto.
De los dragones.
Y de todos los animales
habidos y por haber.

Como no era posible meter
toda esa arca de Noé en sus casas,
los niños se contentaban
con lo que podían.

Algunos tenían un perro,
como Diego y Rafael.

Clara tenía un hámster.

Claudio tenía un ratoncito blanco.
Casi todos tenían un pájaro.
En una jaula, ¡claro!,
pero lo tenían.
Unos eran pájaros cantores,
como el jilguero de Rodrigo
o el canario de Lucas.
Otros eran muy ruidosos,
como los periquitos de Tiago.

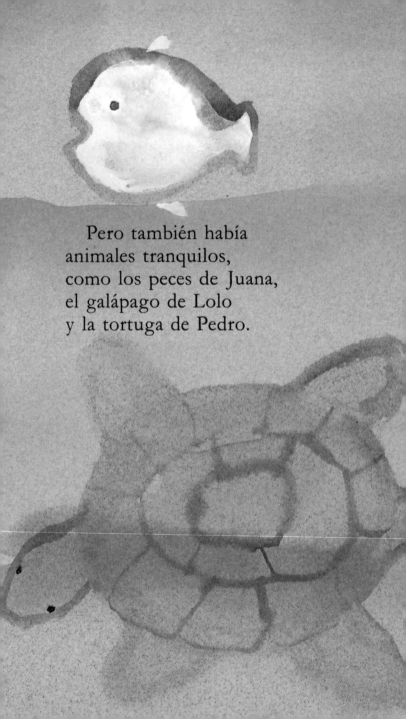

Pero también había
animales tranquilos,
como los peces de Juana,
el galápago de Lolo
y la tortuga de Pedro.

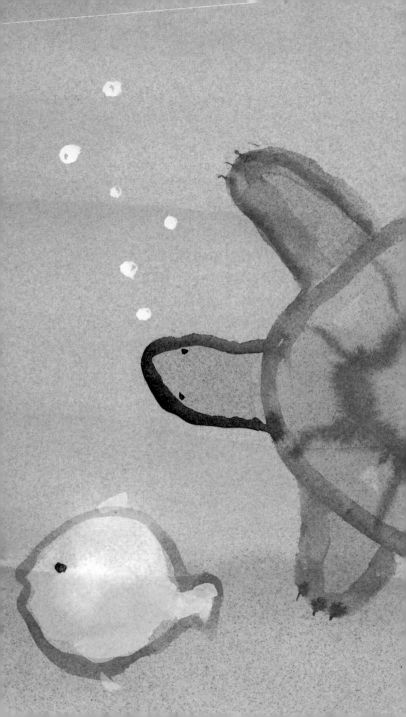

También estaban el gato de Elisa
y la gata de Julia
que acababa de tener gatitos.

¡Cómo alegraban el ambiente
aquellos animales!

Pero un día vino
el nuevo presidente de la comunidad.

El presidente no tenía animales.

Ni hijos.

Ni amigos.

Sólo tenía cara de pocos amigos.

De poquísimos amigos.

O sea, de ninguno.

Vivía en la casa
desde hacía poco tiempo.

Enseguida empezó a decir:
«Revalorización de los pisos.»
«Orden y disciplina.»
«Respeto entre los vecinos.»
Y no sé cuántas cosas más.

Sólo sé que decía
unas cosas muy importantes.

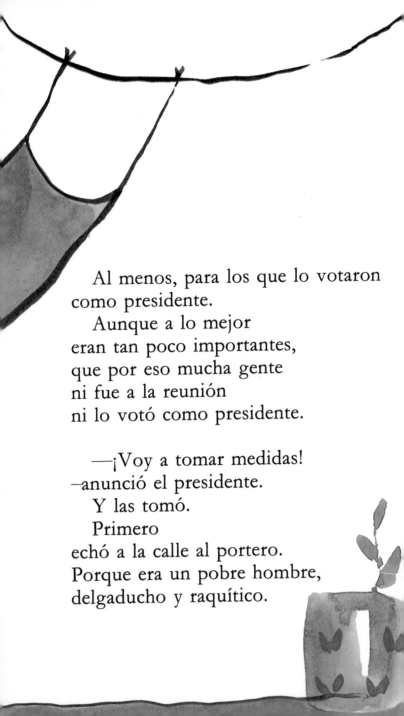

Al menos, para los que lo votaron
como presidente.
Aunque a lo mejor
eran tan poco importantes,
que por eso mucha gente
ni fue a la reunión
ni lo votó como presidente.

—¡Voy a tomar medidas!
–anunció el presidente.
Y las tomó.
Primero
echó a la calle al portero.
Porque era un pobre hombre,
delgaducho y raquítico.

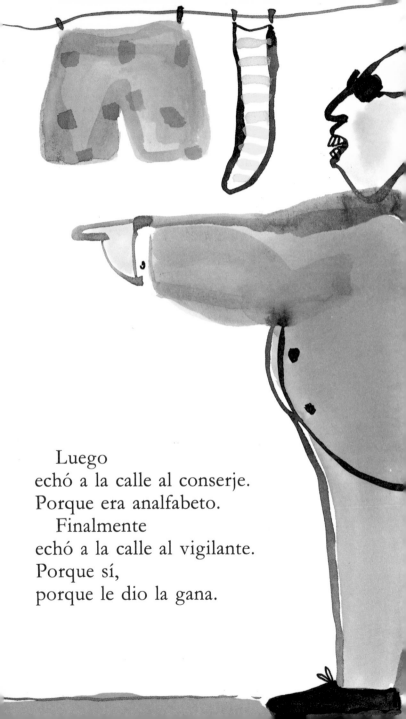

Luego
echó a la calle al conserje.
Porque era analfabeto.
Finalmente
echó a la calle al vigilante.
Porque sí,
porque le dio la gana.

Después, empezó a ordenar:
—¡Prohibido correr por las galerías!
¡Prohibido patinar
por las zonas comunes!
(Los niños se preguntaron
qué sería eso.)
¡Prohibido tender ropa
en las ventanas!
¡Prohibido tener macetas
en los balcones!
¡Prohibido recibir visitas
a partir de las diez!
¡Prohibido tener animales en casa!
—¿Cómooooooo?
–exclamaron los niños
cuando oyeron esto último.
—¡Lo que han oído!
¡Y está prohibido
porque está prohibido!
¡Los animales
transmiten enfermedades,
hacen ruido,

34

huelen mal,
lo ensucian todo!
    De nada valió suplicarle.
    —¡Hay que obedecer!

Hubo despedidas
que rompieron el corazón.
Rafael llevó su perro
a casa de sus abuelos.
Clara llevó su hámster al colegio.
Tiago llevó sus periquitos
a casa de su primo.
Elisa regaló el gato
al vigilante del supermercado.
Pedro quiso esconder su tortuga
debajo de la cama.
Claudio hizo un agujero

en el suelo
para su ratoncito,
pero no le sirvió de nada.

Pocos días después,
todo estaba como quería
el señor presidente
de la comunidad:
sin ruidos,
sin olores,
sin enfermedades,
sin suciedades
(cosas que los niños decían
que tampoco había antes),
¡¡sin alegría!!

Sólo que los niños
no se conformaban...
No se sabe cómo les vino la idea.
Si la encontraron
en una película,
en un libro o en un tebeo.

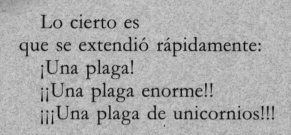

Lo cierto es
que se extendió rápidamente:
¡Una plaga!
¡¡Una plaga enorme!!
¡¡¡Una plaga de unicornios!!!

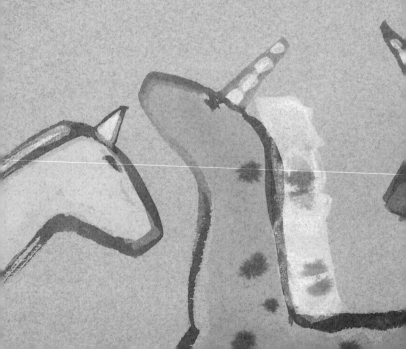

El primer unicornio
lo vio el presidente
en el ascensor.
Abrió la puerta para bajar
y vio a Diego en un rincón,
con una cosa en brazos.
Al principio no se creyó
lo que estaba viendo.
Por eso le preguntó:
   —¿Qué es eso, niño?
   —Una cría de unicornio.
Antes de que el presidente
se recuperase de su espanto,
el ascensor ya estaba abajo
y Diego se había reunido
con sus amigos:
   —¡Cuidado, que viene! —gritó.
El buen hombre
apenas tuvo tiempo
de restregarse los ojos
antes de comprobarlo:
los niños estaban jugando,

en el patio de cemento,
con unos caballitos
que tenían un cuerno
en medio de la cabeza.
    En menos de un segundo
desaparecieron
todos los unicornios.
El último fue uno
que se había enredado el cuerno
en la cuerda
que usaban los niños
para jugar a la comba.
¡No quedó ni rastro de ellos!
¡Todo desierto!
    Cuando el presidente
sacaba su coche del garaje,
marcha atrás,
de repente vio por el retrovisor
una cosa muy extraña,
un animal muy raro.
El animal tenía un solo cuerno,
como los rinocerontes,

pero su cuerpo era
como el de un caballo.

Paró el motor,
bajó veloz para verlo mejor,
pero... ¡nada!
—Tengo que ir al oculista.
Me parece que no veo bien
–murmuró.
Pero pronto se olvidó de eso.
En la oficina todo marchó bien
y no se acordó más
de aquellos extraños animales.

Por la tarde, al volver a casa,
oyó en la galería
un galope muy extraño.
Se volvió rápidamente,
justo a tiempo de ver a un niño
montado en un unicornio.
El jinete y su cabalgadura
desaparecieron como un rayo
escaleras abajo.

El presidente
entró rápido en su piso.
Su mujer acababa de llegar
del supermercado.
De las bolsas de la compra salían
unas cosas muy raras:
por aquí,
la punta de un cuerno de nácar.
Por allí, unas crines al aire.
Por allá,
el ruido de un trote ligero...
El presidente abrió la ventana,
pensando que el aire puro
acabaría con aquellas pesadillas.
Y por la ventana,
allá abajo, en el patio,
vio algo espantoso:

¡un montón de niños
corriendo por el *terreno,*
jugando, cada uno,
con un unicornio!

Llamó a los niños.

Acudieron todos,
pero sin los animales.

—¿Qué juego era ése?
–preguntó furioso.

—No sabemos de qué habla, señor
–respondió Rafael.

—¿Qué animales eran eśos?
—gritó, echando espuma por la boca.
　　—Unos animales
que no transmiten enfermedades,
ni hacen ruido,
ni huelen mal,
ni ensucian.

O sea,
unos animales que se pueden tener
–explicó Diego.

—Además –continuó Juana–,
son unos animales ilustres,
amigos de reyes y princesas.
¡Animales que van a revalorizar
el edificio!
Hasta se podría poner
en la portería
un escudo con su cabeza.

—Era un unicornio –aclaró Pedro.

—¡Uno, no! ¡¡Un montón!!
¡¡¡Una plaga de unicornios!!!
–corrigió Claudio.

—¡No puede ser!
¡Esos animales no existen!
–gritó el presidente.

—¡Entonces, usted no ha visto nada!
Por tanto, déjelos en paz.
Y a nosotros, también.

Y todos los niños se fueron.

El presidente creyó
que tenía alucinaciones
debido al calor que hacía.
  Fue a la cocina.
Quiso sacar un vaso del armario,
pero le costó bastante,
por culpa de un unicornio
que estaba allí dentro,
con unas gafas,
leyendo una revista.
  Cuando abrió el frigorífico,
lo cerró enseguida, asustado:
aprovechando el fresquito
y la abundante comida
que allí había,
una unicornia
se había instalado en su interior
y estaba dando de mamar
a sus crías.

No se sabe
si se lo llevó una ambulancia,
o una alfombra voladora,
o si se fue
en una carroza
tirada por dos unicornios blancos.
   Lo cierto es que, desde entonces,
nadie ha vuelto a ver
al señor presidente.
   Hay quien asegura
que hoy vive en la Luna.
Y que no se atreve
a salir de su cohete,

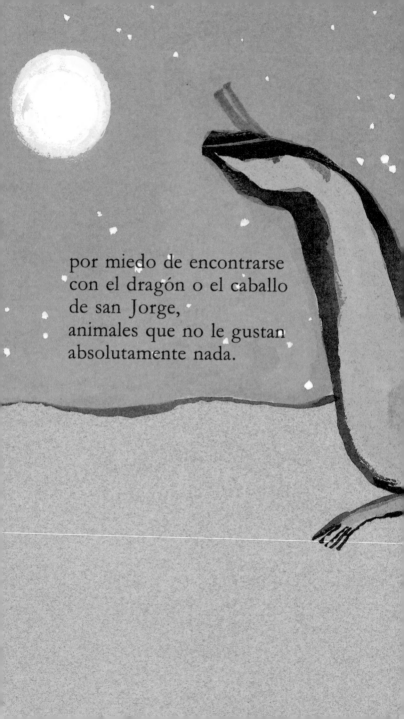

por miedo de encontrarse
con el dragón o el caballo
de san Jorge,
animales que no le gustan
absolutamente nada.

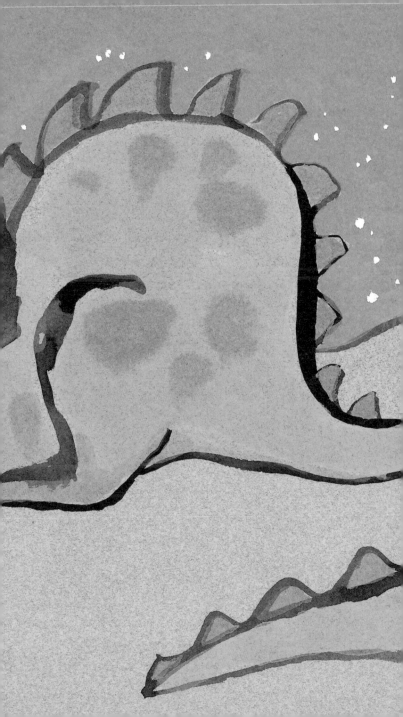

Sea lo que sea,
el hecho es que desapareció.
Su mujer,
después del susto que se pegó,
comenzó una vida nueva:
cerró la casa,
se mudó
y empezó a estudiar veterinaria.

Y, hablando de desaparecer,
también desaparecieron
los unicornios.
Nadie recuerda
haberlos visto desde entonces.
¡Ahora hay tantas cosas
que ver en el jardín!
El novísimo presidente
mandó quitar el cemento
y echar *tierra*.

Ahora hay plantas,
y lombrices,
y escarabajos,
y caracoles,
y flores,
y piedras,
y cascotes de tejas...